Para mi hija, Mari (y la abuelita Marie)

Tenemos mucho que hacer.

Distribución mundial en español, excepto España

© 2020, Oliver Jeffers
El autor-ilustrador afirma el derecho moral de ser identificado
como el autor-ilustrador de esta obra
Diseñado por Rory Jeffers
Publicado originalmente en inglés en Gran Bretaña por
HarperCollins Children's Books, una división de HarperCollins
Publishers Ltd. con el título: *What We'll Build: Plans
for Our Together Future*
La caligrafía del lápiz de la página 8 está basada en una cita de
Richelieu; Or, The Conspiracy de Edward Bulwer-Lytton, 1839

© 2020, Fondo de Cultura Económica, traducción
Traducido bajo licencia de HarperCollins Publishers Ltd.

D. R. © 2020, Fondo de Cultura Económica
Carretera Picacho Ajusco, 227; 14738 Ciudad de México
www.fondodeculturaeconomica.com
Comentarios: librosparaninos@fondodeculturaeconomica.com
Tel.: 55-5449-1871

Se prohíbe la reproducción parcial o total de esta obra,
por cualquier medio, sin el consentimiento por escrito
del titular de los derechos correspondientes.

ISBN 978-607-16-6861-5

Primera edición en inglés,   2020
Primera edición en español, 2020

Jeffers, Oliver
   Lo que construiremos / Oliver Jeffers ; trad. de
Susana Figueroa León, Norma Muñoz Ledo.
— México : FCE, 2020
   [48] p. : ilus. ; 28 × 24 cm — (Colec. Los Especiales
de A la Orilla del Viento)
   Título original: What We'll Build
   ISBN 978-607-16-6861-5

   1. Cuento 2. Literatura infantil I. Figueroa León,
Susana, tr. II. Muñoz Ledo, Norma, tr. III. Ser. IV. t.

LC PZ7   Dewey 808.068 J547c

Colección dirigida por Horacio de la Rosa
Edición: Susana Figueroa León
Formación: Miguel Venegas Geffroy
Traducción: Norma Muñoz Ledo y Susana Figueroa León

Se terminó de imprimir y encuadernar en julio de 2020.
El tiraje fue de 32 900 ejemplares.

Impreso en China • *Printed in China*

Sólo puedes soñar y planear (para el futuro)
cuando no estás luchando para sobrevivir (el presente).
Para todos aquellos padres e hijas en este mundo cuyas posibilidades
son menos afortunadas que las nuestras, nuestro objetivo es emparejar las cosas.
Con amor, Oliver y Mari

(En memoria de Óscar y Valeria
que intentaron cruzar y nunca lo lograron.)

LO QUE CONSTRUIREMOS

PLANES para NUESTRO
FUTURO JUNTOS

OLIVER JEFFERS

LOS ESPECIALES DE
A la orilla del viento
 FONDO DE CULTURA ECONÓMICA

¿Qué construiremos,

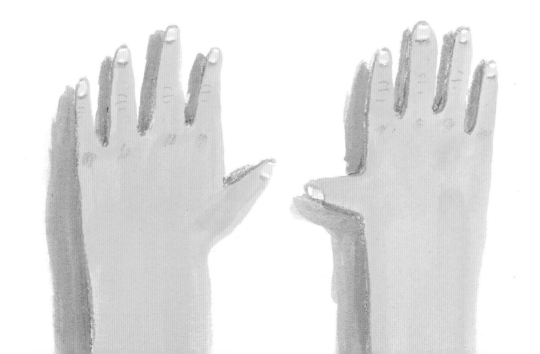

tú y yo?

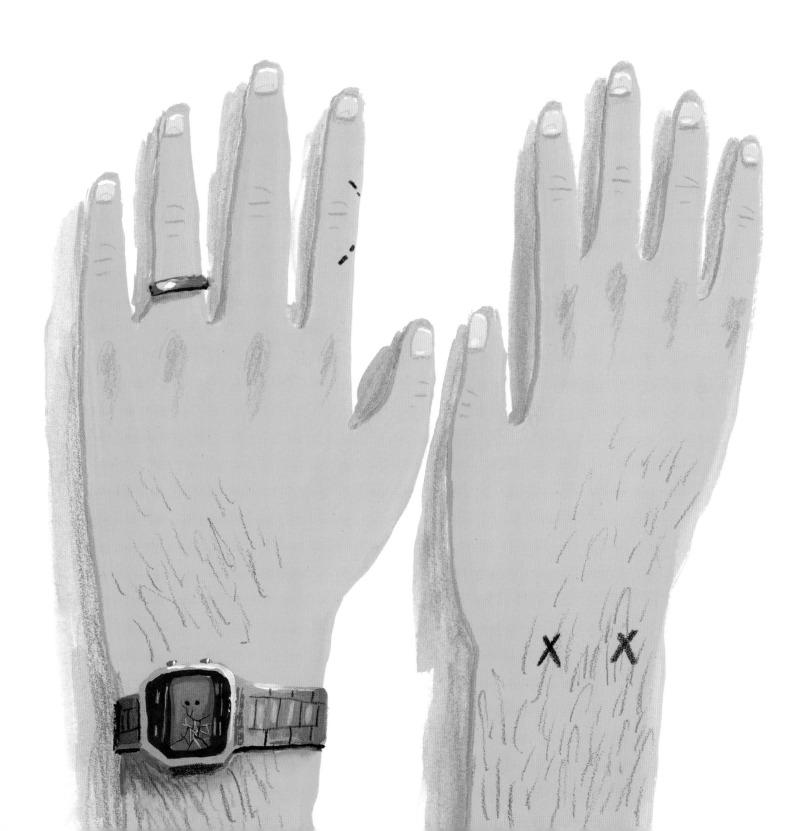

Consigamos las herramientas, para empezar.

Pues hay que armar

y desarmar.

Pongamos una puerta

donde antes no había una.

Construiremos una casa

para que sea nuestro hogar.

Construiremos un reloj para cuidar nuestro tiempo.

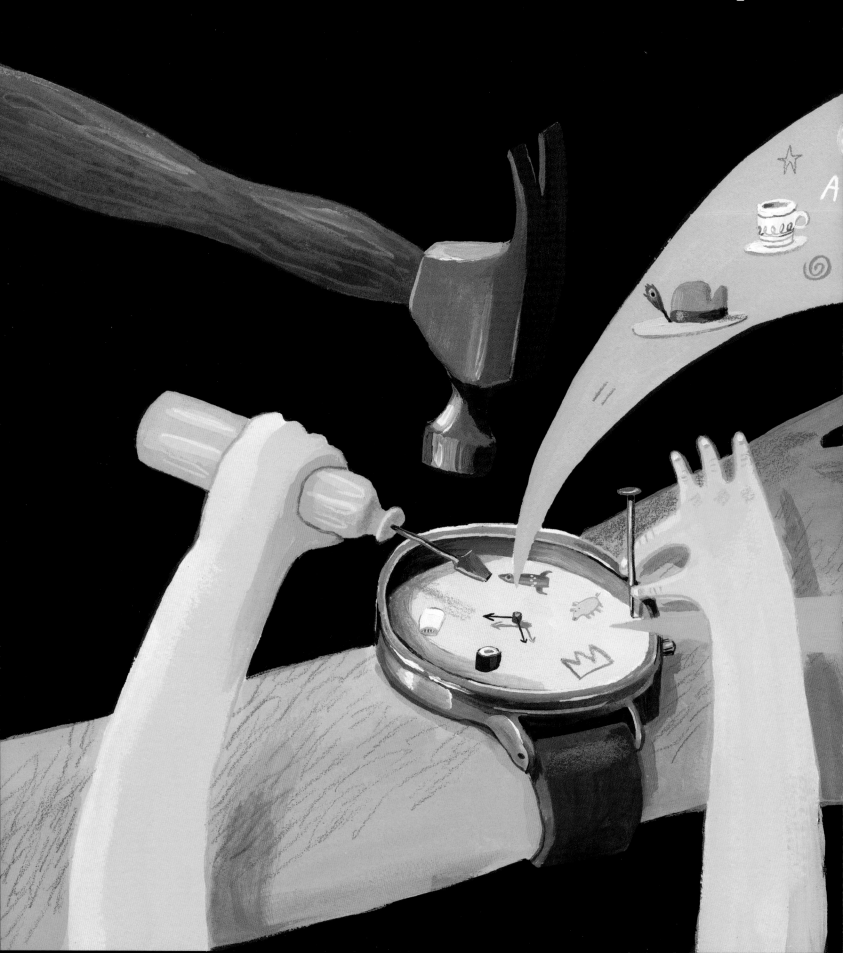

Yo construiré tu futuro y tú el mío irás construyendo.

Tengamos siempre amor de sobra

y un buen agujero para esconderse en la sombra.

Un castillo para que no entren
los enemigos

con altos muros para no
escuchar sus alaridos.

Pero no siempre se pierde
y no siempre se gana.

Por eso haremos una puerta
o quizás una gran ventana.

Construiremos una mesa
para beber el té y decir…

Construiremos una torre
para contemplar el cielo

y otros mundos que nos
pasen al vuelo.

Construyamos un túnel hacia cualquier lugar

y un camino directo a la superficie lunar.

Construyamos un lugar cómodo para reposar,
pues muy pronto tú y yo cansados vamos a estar.

Hagamos un barco que nunca falle,

que no se hunda ni se quebrante.

Un lugar para cuando todo esté perdido,

para las cosas que hemos amado y que hemos protegido.

Pondremos esas cosas a un lado

del amor que habíamos guardado.

Pienso que quizá nos darán consuelo

cuando el ánimo esté por el suelo.

Pero, primero lo primero,
hagamos una fogata

puesto que mucho hemos planeado
y hace falta descansar.

Nos mantendrá calientitos, como al nacer,

luego nos desearemos buenas noches, todo estará bien.